KB171769

달콤씁쓸한 마라톤에 취하다

마라톤, 시처럼 아름답게

김민들레

<차 례>

시를 엮으며

2019년 2.98km, 30분 동안 달리기를 시작한 후 6년 차가 되었습니다. 2022년 춘천마라톤 풀코스, 2023년 jtbc 마라톤 풀코스, 2024년 동아마라톤 풀코스를 완주했습니다. 만 52세에 한 일이라 더 뿌듯합니다. 매년 마라톤 기록이 조금씩 단축되고 근육이 생기는 제 모습에 제가 놀랍습니다.

2024년 4월 15일 미국 보스턴 마라톤 대회 풀코스를 완주했습니다. 응원 문화와 즐기는 러닝으로 마라톤도 아름다울 수 있음을 배웠습니다.

마라톤은 인생 같아서 희로애락이 다 담겨 있습니다. 삶의 자세를 어떻게 하느냐에 따라 삶이 달라지듯 마라톤도 마찬가지였습니다. 딱 훈련한 만큼, 마음 자세를 다진 만큼 변화되더군요.

한 편의 시를 쓰기 위해 1시간 이상을 뛰기도 하고, 풀코스를 뛰어야 했죠. 5시간을 짧은 10줄로 표현할 수 있음에 감사하기도 하고 담아낼 수 있을까 걱정이 되었습니다.

달리기를 하면서 러닝 후기를 작성하기도 하고 시를 쓰기도 하면서 몸과 마음이 정리되기도 하였습니다.

300회, 1000회 완주하신 분들, 10년, 20년 마라톤을 하신 분들도 많지만 막 초보를 벗어난 저의 시로 잠시 미소를 지을 수 있다면 좋겠습니다. 이제 시작하는 러너들에게는 공감과 희망, 꿈을 드리고 싶습니다.

마라톤 하면서 몸과 마음이 강해지고, 시를 쓰면서 몸과 마음이 평온해지고 유연해짐을 느낍니다.

감사합니다.

마라톤, 시처럼 아름답게

쉼이 아닌 쉼표

2019.4.17 2.92km 30분,
2019.4.19 3.94km 40분,
2021.11.2 10km 1시간 32분,
2021.12.21 21.097km 2시간 55분,
2022.10.23 42.195km 5시간 34분,
2023.4.15 42.195km 4시간 58분,
2023.11.5 42.195km 4시간 55분,
2024.3.17 42.195km 4시간 42분,
2024.4.15 42.195km 5시간 31분 마라닉

쉼표
짧지만 긴 시간

*마라닉 : 마라톤을 피크닉처럼

오감 러닝

발을 내디딜 때마다
뽀드득 뽀드득
설서시 후 마지막 헹구는 느낌

하늘을 쳐다본다
두 팔을 벌려본다
눈이 슬로우비디오처럼 내린다

춥지 않게
포근하게 내리는 눈

눈이 입술에 떨어진다
세계 최고의 無 맛

귀밑 땀 내음이
짜다

왜

길이 있으니
달릴 뿐이다
왜 달리는지 알고 싶어서

삶이 있으니
살아갈 뿐이다
왜 사는지 알고 싶어서

생각도 말아라

달리고 싶을 때는 무조건
자유롭게 달려볼 것

러닝 거리를 늘리지 말며
마라톤 대회는 얼씬도 말아라
러닝 크루는 가입도 말며
러닝화는 워킹화로 신으며
카본화는 생각도 말아라
언덕 훈련은 하지도 말고
야소 800 스피드 훈련 알려고 하지 말며
근력운동하거나 알이 배기도록 뛰지 말라
부상 있으면 멈추고 완치 후에 뛸 생각 말라
오직 하루만 보고 살아라

마라톤 중독되지 않는 방법

시인과 러너의 공통점

말을 아낀다
생각하고 생각한다
고통 속에 자신을 밀어 넣는다
덜어내고 덜어낸다
고요함을 즐긴다
자신을 아는 일부터 시작한다
자연에서 영감과 위로를 받는다
첫 발걸음이 어렵다
한 줄을 얻기 위해 갈고닦는다
모든 행동에 의미를 부여한다

속도 조절

서투른 네가 무작정 달려드니
말릴 시간이 없었네
엄지발톱을 빠지게 하여
잠시 멈춰 쉬게 만들었다네

풀코스를 너무 자주 도전할까 봐
왼쪽 무릎에 통증을 주었다네
다행히도
3개월을 쉬게 했지

겁 없이 산을 달릴까 봐
울릉도 마라톤에서 발을 걸었다네
4m 고도를 달리던 네가 넘어졌지
150m, 90m 봉우리를 넘은 후였어

몸의 소리를 듣지 않아
32km에서 쥐를 보냈다네
아주 천천히 뛰더구나

발톱이 아프다고 소리치며
진물과 빠알간 피도 보내줬지
속도를 줄이더구나

마라톤으로 절제력을
배우더구나

꽃게 걸음

나만 설레일까?
마라톤 대회 출발 전 비장한 표정들

나만 목마른가?
식수대 나오니 모두 쪼르르르

나만 쥐났을까?
30km 벽 잡고 서 있는 러너들

나만 기쁜가?
찡그렸던 고통을 완전히 잊은 환한 표정들

완주 후 나만 아픈가?
지하철 벽 잡고 꽃게처럼 걷는 다리들

영웅들의 꽃게 걸음

틈새

일어나서 커피 물 끓일 때
까치발 20회 하기

샤워할 때
벽 밀기 20회 하기

엘리베이터 기다릴 때
스쿼트 10회 하기

PC 켤 때
아령 5회 하기

집 안에서 걸어 다닐 때
서리태 콩주머니 양쪽 발목 묶고 다니기

내 팔자야

그냥 이대로 살래
쉰 넘었는데 뭘 고치겠니

아니야, 고쳐보자

아니야, 팔자 대로 살아

서브 4와 무릎보호
팔자걸음 고치기 프로젝트

팔자도 고치는
마라톤

*서브 4 : 4시간 안에 풀코스 완주

언덕 훈련을 마치며

새도 달도 모두 자는 밤에
언덕 오르는 발걸음과 숨소리들
걸어서도 늦춰지는 걸음 뛰어서 가네
오가는 화이팅에 잠시 힘을 내보지만
무거운 다리는 어쩔 수가 없네
차가운 바람은 입김에 날아가고
땀 한 방울은 꽃보다 향기롭구나
대회 언덕을 만나는 순간
이 언덕이 참으로 고맙게 느껴지네

별이 반짝 지나간다

1km 구간 기록
7분이라는 건강한 숫자
6분이라는 아름다운 숫자
5분이라는 꿈같은 숫자
4분이라는 별 같은 숫자
3분이라는 닿을 수 없는 숫자

건강함과 아름다움을 넘어
꿈같은 숫자를 자주 만난다

별 같은 숫자가 반짝 지나간다
닿을 수 없어 매혹적이라 완성 수인가

말할 수 없는 비밀

여름 날 러닝 할 때 땀의 공격
엉덩이 사이 땀의 쓰라린 베임
브라 라인 땀의 치근거림
고관절의 아우성은 덤

만남

글을 쓰고 나서 달린다
글이 써지지 않으면 달린다
달리기 위해 글을 쓰고
글을 쓰기 위해 달린다
정신적, 육체적 한계를 만나야
글을 쓸 수 있는 사람

그런 사람을 또 만났다
조지 쉬언과 무라카미 하루키

*조지 쉬언의 '달리기와 존재하기' 작가, 의사, 러너
*무라카미 하루키 '달리기를 말할 때 내가 말하고 싶은 이야기' , '노르웨이 숲' 작가, 러너

손은 차갑게 발은 뜨겁게

영하 8도
비니를 쓰고
넥 워머도 뒤집어쓰고
털장갑을 낀다
그리곤 달린다
겨울 날씨에 놀란 뜀박질
발바닥만 불이 난다
다행이다
발이라도 데워져서

내일은 영하 13도
털장갑도 손이 시려웠으니
스키 장갑을 껴보련다
뜀박질에 마음도 데워보자

겨울바람

나는 바람과 함께 달린다
영하 8도 추위가 어쩌지 못하게
뜨거운 입김으로 공기를 데운다

얼굴에 닿는 찬바람은
뜨거워진 피로 도망가고
쭈뼛해진 머리는 모자 하나로
바닥에 땀으로 드러눕는다

꽁꽁 싸맨 사람들 사이로
얇은 티셔츠와 조끼 하나로 퐁퐁 달리니
들판 위 타조 보듯 고개를 돌린다

차가운 눈을 만지는 어린아이처럼
비 웅덩이를 밟고 지나가는 초등 아이처럼
그렇게 겨울바람과 함께 달린다

감사한 일

기록도 줄지 않고
매번 힘들기만 한 러닝

그냥 달리기만 해본다
아무 생각 없이 달린다

감사한 일이다
달릴 힘이 있다는 것은
달릴 몸 상태가 된다는 것은

사실은

냉장고에 있는
찐 마늘 꿀절임 누가 먹었소?

러닝 후 피로회복에 좋다기에
내가 먹었소

냉장고에 있는
쇠고기는 누가 먹었소?

러닝 후 단백질 보충 위해
내가 먹었소

비타민C 알약은
누가 먹었소?

러닝 하면서 매일 햇볕에 그을리니
피부 위해 내가 먹었소

이젠 질색팔색 하던 것도
잘 먹는구려

한강에서

말수가 아주 많은 그와 뛰었다
그의 말은 그만 들었고
소리 없는 나의 말은 나만 들었다

말수가 아주 적은 그와 뛰었다
그의 말은 같이 들었고
숨소리와 발소리로 3시간 동안
충분히 대화하며 뛰었다

꿈

제가 어떻게 10km를 달려요?
5km만 달려도 성공이에요.

제가 어떻게 하프를 달려요?
못할 것 같아요.

제가 어떻게 풀코스를 달려요?
못 해요, 못 해.

제가 풀코스를 완주했어요
꿈꾸니까 되네요

당신의 꿈은 뭔가요?

이유 없음

봄에 벚꽃이 피어 꽃잎 떨어지듯
옷을 하나씩 벗겨냄은
겨울의 무거운 마음을 날래기 위함이요

여름에 태양 피해 나무 그늘 찾기는
숨통을 틔워주기 위함이요

가을에 단풍과 같이 뛰는 건
사람 단풍들과 대회에 어울리기 위함이요

겨울에 다람쥐처럼 산을 달리는 건
눈과 달리기 위함이요

이유가 없으니
핑계 대어 달리고 싶을 뿐이요

러닝의 모든 것

미래의 내가 되는 방법은
수많은 인파 속에 러닝 하는 모습
러닝 클럽에서 발맞춰 뛰는 순간 상상하기

현재의 내가 되는 방법은
숨소리, 발소리 들으면서
아무 생각 없이 내딛기

과거의 내가 되는 방법은
뛰어다닌 거리, 공기, 냄새, 소리, 바람
그리고 근육에 새겨진 마음의 흔들림 속에서
러닝의 흔적 들춰보기

6년간 러닝 하며 저지른 실수

3년간 워킹화로 혼자 달리면서
발과 다리를 혹사한 일
발, 다리야 미안하다
러닝화가 따로 있는 줄 몰랐단다

2년간 마라톤 클럽에서 같이 달리느라
가족과 집안일을 소홀히 한 것
남편, 아이들아 미안하다
체력이 안 되어 집에만 오면 쓰러져 잤단다

나의 체력에 한계를 지어
그 안에서만 달리려 한 일
잠재력아 미안하다
나도 이렇게 1km 구간 기록이
7분 30초에서 5분 50초까지 단축될 줄 몰랐단다

6년간 러닝 하며 잘한 일

3km, 5km, 10km, 하프, 풀코스
계단을 하나하나 오르듯
조금씩 천천히 해내는 일

부상을 당하고 3개월 쉰 후 다시 뛰고
넘어져서 얼굴, 무릎이 까져도
회복 후 다시 뛰고
통증과 대화하며 휴식과 회복을
중요하게 생각하는 일

마라톤 클럽에 가입하여 3년째
도움을 받고 도움을 주는 일
혼자라면 해내지 못했을 것이고
나의 러닝 미래와 과거를 볼 수 있는 곳

주문을 외우다

메리 포핀스 영화에서
할 말이 없을 때 하는 주문
수퍼칼리프라글리스틱엑스피알리도셔스
웃음이 난다

러닝 하며
말할 힘이 없을 때 하는 주문
한 발만, 한 발만, 한 발만...
나에게 하는 간절한 주문

6년간 러닝 하며 감사한 일

초등 4학년 아들과 남편과
5km, 10km 대회 나가서
고통과 희열을 같이 느낀 일

어깨 통증으로 잠 못 이루다가
풀코스 완주해도 멀쩡한
어깨를 보며 기뻐한 일

러닝을 위한 러닝이 아니라
기록을 위한 러닝으로 글을 쓰고
시답지 않은 시를 쓰는 일

3년째 풀코스를 뛰며
고통을 선택하다 보니
몸 근육, 마음 근육이 생긴 일

달리기에 취하다

"지금도 충분하지 않을까?"
이 질문에 심장이 멈춘 듯 몸도 멈추고 생각도 멈춘다.

풀코스 3회 완주하면 되었으니 그만하라는 말. 달리기에 취하는 이유는 하루하루 생동감과 살아있음을 느끼기 위해서다.

나머지 이유는 없는 이유를 찾아낸 것뿐이다. 그리고 아직 이보다 취기가 오르는 일을 찾지 못했다.

할 때마다 어렵고 꾸준함과 겸손, 성장하는 술이 있다면 알려주시오.

덜 미친 체력

장거리 34km 달린 후 귀가하니
몸이 소리 없이 저항한다

고관절이 아프다고
종아리가 땡긴다고
발목도 시큰하다고
복근도 불편하다고
어깨도 묵직하다고
발톱도 통증이 있다네

마사지 크림으로 살살 달랜다
다리 마사지 기계로 툴툴대지 않게 주무른다
몸아 수고했다
다리야 수고했다
그나마 덜 수고한 손으로
바빴던 다리와 발을 토닥인다

선배는 35km로 뛰고 뒷날 아침
하프를 뛰었단다
미친 체력

자화상

가슴은 쫙 펴고
팔 치는 모습은 자연스러우며
보폭은 시원시원하게 내딛고
뒤꿈치는 엉덩이를 툭툭 찬다
이런 상상과 달리
어깨는 힘이 바짝 들어있고
엉덩이는 무겁고
보폭은 좁아 거리가 줄어들지 않으며
지면과 발은 이별하기 싫은 사람 마냥
간신히 떼어놓는 모습이라니
뛰는 게 아니라 다리를 끌고 가는구나

영웅을 만나기 1km 전

눈끝에는 어서 끝내라는 애잔함이
코끝에는 거의 다 왔다는 시큰함이
손끝에는 땀의 끈적끈적함이
발끝에는 온몸을 지탱하는 무거움이
입끝에는 헉헉대는 숨소리의 재촉이
나의 풀코스 완주 영웅인
나를 만나기 1km 전

움직이는 모든 순간

나의 두 발로 걸으니 찬란한 순간
나의 두 발로 뛰니 찬란한 시간
나의 두 발과 두 다리로 수영하니 찬란한 날
나의 몸을 움직였던 찬란한 날들
아파서 누워보니...

은인

지난밤 위 용종을 떼어내고 놀란 남편은
3일간 죽만 먹으니 시시때때로 배고프다

술, 담배를 않는 남편에게
기어이 원인을 찾는다면 일 스트레스

작년 봄부터 겨울까지 퇴근 후 같이 달리면서
아무 생각 없어서 좋다는 그

당신은 나 업고 다녀라
나 덕분에 하프 마라톤 대회까지 다녔으니
용종이 그만한 거야

그러네, 당신이 나의 은인일세

내가? 러닝이?

마라톤

1등과 꼴찌 거리가 가장 차이가 난다
물도 달리면서 마셔야 한다
코치도 감독도 경기 중엔 코빼기도 안 보인다
가장 긴 공간이 있어야 가능하다
사람들이 길거리에서 어느 나라 선수든 응원 한다.

아마추어 마라토너는 6시간에 완주만 해도 큰 박수를 받는다

내가 생각하는 러닝은

봄에는 살랑 원피스보다 러닝복으로
가볍고 산뜻하게 꽃구경하며 달리고 싶다

여름에는 울창한 나무 그늘 사이로
초록을 눈에 담으며 땀도 바람에 날리고 싶다

가을에는 은행잎과 단풍잎 사잇길에서
개선장군처럼 당당하게 내달리고 싶다

겨울에는 햇빛이 비치는 한강에서
쏟아지는 눈과 같이 가벼이 나리고 싶다

현실은,

봄에는 오전만 되어도 땀이 나서 덥고
꽃구경 러닝은 인파로 달리기 쉽지 않다

여름에는 둘레길이 아니면 나무 그늘 찾기 어려우며
새벽이나 밤에 틈을 내내 야반도주한다

가을에는 아직도 해가 뜨거워 낮을 피하고
뛰기 좋은 날씨는 아주 잠시 잠깐

겨울에는 다칠까 봐 눈길을 피하고
산길이 오히려 덜 미끄럽다

시간과 계절과 상관없이 그냥 없는 시간을 만든다
좋은 날 좋은 시간에 뛰려면 뛸 날이 며칠 없다

통증 없는 날이 가장 뛰기 좋은 날

차이

풀코스 Finish가 다가올수록
온몸이 만신창이다

몸이 성하다면 최선을 다하지 않았거나
아니면 최선을 다해 준비했거나
아니면 즐겼거나

책보다 눈

아침 창밖을 보는 순간 책을 집어던진다
오전 일정 모두 오후로 미루고 주섬주섬 챙기는데
발가락 양말은 왜 이리 더디게 신는지
넥 워머와 장갑, 모자는 마음 급한데 거추장스럽기만 하다
타이어 같은 트레킹화를 신고 뛰쳐나간다

키 작은 나무는 밀가루 뭉텅이로 덮여 있고
섬섬옥수 같은 나뭇가지에는 흰 눈이 줄타기를 한다
누군가 이쁘게도 꼬불꼬불 눈길을 만들어 놓는다

이런 날 달리지 않으면 어떤 날 달릴까

마음 챙김

괜스레 달리기가 싫다
몸이 회복되지 않았거나 근심이 있다

그냥 달려볼까?
컨디션이 나쁘지 않고 달리면 기분이 좋다

장거리 해볼까?
마라톤 대회가 다가와서 물러설 수 없거나
며칠 전부터 몸과 마음의 준비를 한 상태다

슬슬 달려볼까?
몸이 부상에서 회복되었거나 충분히 쉬었다

그냥 달리자
달리기 미션이 있거나, 안 가면 안 되는 상태
다

러닝화 꼴도 보기 싫다
마라톤 대회나 장거리 훈련으로 에너지가 소진되어 휴식이 필요하다

오늘 나의 상태는?
그냥 달리자
동아 마라톤 대비 100일 운동 챌린지 98일째

32km 대회는 가볍게 가뿐하게

고구려 마라톤 대회 32km, 고구려의 기상을 갖고 가볍게 다녀오겠다는 환상을 깬 것은 25 km 이후였다. 다리가 무겁고 목도 마르고 배가 고픈 이상한 기운으로 집중하기가 힘들 즈음 포기하고 싶다, 걷고 싶다는 생각이 불쑥불쑥 올라온다. 페이스는 이미 흐트러졌다.

그러나 나는 안다. 힘들어도 포기하지 않을 거라는 믿음 하나만 남아 있었다. 그래, 항상 죽을 것 같아도 finish line은 다가온다. 나만 힘든 게 아니다. 주위를 둘러봐, 모두 힘겹게 뛰고 있잖아.

이렇게 32km도 힘들어하면서 다음 달 풀코스는 어떻게 뛰려고 그럴까 나는 왜 이렇게 힘든 마라톤을 뛸까 몇 달 동안 하지 않았던 물

음이 다시 기어올라온다. 아무 소용 없는 질문들이다. 질문은 나중에 하자. 힘을 주는 말을 하자. 할 수 있어, 다 왔어, 또 해낼 거야. 한 발만.

마지막 5km 가뿐하게 달리려는 맘과 달리 더디고 더디다. 식수대 외에 걷지 않고 달린 장거리는 이번이 처음이다. 하프까지는 물을 마실 때도 멈추지 않고 1초 2초가 아깝다며 컵을 낚아채며 마시기도 처음이다. 오~ 많이 늘었는걸.

마지막 100m 스퍼트를 하고 아~ 아~ 힘들다. 아~ 아~ 참았던 숨을 한꺼번에 뱉는다.
해냈다. 앗싸~라고 몇 번 연습을 해도 아직까지 해보지 못했다. 통증에, 절뚝거림에, 쥐 때문에 고통이 완주 기쁨을 하루 이틀 잡아먹는다. 빨리 집에 가서 침대에 몸을 뉘고 싶다.

숨도 마음껏 쉬고, 물도 맘껏 마시고, 바나나도 맘껏 먹고 밥도 배불리 먹고 싶다.

어제 대회 후유증으로 몸은 천근만근, 걸을 때마다 어이구 소리가 저절로 나온다. 마치 아득히 옛날 일을 떠올리는 것 같다. 일상의 패턴이 무너지고 생각의 패턴도 무너졌다. 몸과 마음을 다 뒤흔들어 놓은 2024 고구려 마라톤 대회 32km 난 뭘 배웠을까? 3시간 14분 동안.

동행

새벽일을 나서는 사람 마냥 전철을 탄다
일요일 06시 30분
빈 좌석들이 반갑다

건너편 앉은 사람 자세만 봐도 러너다
모자, 시계, 운동화, 가방을 본다
그 옆 사내는 확실한 증거로
운동화에 기록 측정 칩 스티커까지 붙였다
긴장한 표정은 나처럼 초보
잠을 자는 러너는 고수이거나 마실처럼 즐기는 사람

바나나 고구마를 먹은 지 30분이 지나도 소식이 없었는데
전철 안에서 신호가 온다. 이런 반가울 데가
도착 전 역에서 내려야 화장실이 한가하다

건너편 남자도 화장실을 간다
둘 다 완전 초보는 아닌 듯

마라톤의 의미

마라톤으로 마음을 보고 영혼을 본다
마라톤으로 몸을 보고 마음을 본다
마라톤으로 평온을 보고 뒤흔든 후 다시 본다
마라톤으로 태도를 보고 삶을 본다
마라톤으로 사람을 보고 그의 삶을 본다
마라톤으로 나를 보고 세상을 본다

마라톤은 세상을 보는 詩
마라톤은 나를 보는 詩

오르막

오르막 앞에 서면 느려지고
멀리서 오르막만 보면 겁먹는다

이번 마라톤 대회 오르막
너무 힘들었다는 말에
선배는 그다지 힘들지 않다고 말한다
똑같은 풀코스 러너인데 왜 안 힘들까
평지나 언덕이나 러닝 기록이 똑같단다
완전 약 올리기 수준의 발언이다

삶도 이랬을까
힘든 일이 갑자기 터졌을 때 놀라서 허둥지둥
며칠 후 일정이 있으면 긴장해서 조마조마
언제면 담담하게 넘어설까

선배의 오르막 비법 세 가지

오르막 훈련

오르막 오를 기본 체력

오르막 보는 담대함

그냥 웃지요

밤새 무등산 종주 57km 18시간 간다는 선배
에게 묻는다
왜 등산을 다니세요?

옆에 있던 후배가 바로 내게 묻는다
왜 마라톤 하세요?

러너 다섯 명이 소리 내어 웃는다

풍경

창밖을 본다
구두, 자전거, 러닝화, 자동차

종종걸음으로 구두가 바삐 바삐 걸어간다
자전거가 바람 가르며 얼굴을 묻고 씽씽 달려
간다
러닝화가 땀을 내며 퍽퍽 뛰어간다
그 옆을 부~웅 자동차가 소리로 뒤덮는다

정신 차리고
아침 시 짓고 밥 짓는다

금지 행동

동아 마라톤 풀코스 2주 전이다
모든 훈련은 끝났다
휴식과 컨디션 조절
그리고
새로운 일 하지 않기

음식 골고루 잘 먹기
일찍 자고 일찍 일어나기
멀리 가지 않기
좋은 생각하기
좋은 말 하기
좋은 글쓰기
마음 상하지 않기
마음 상하게 하지 않기

몸과 마음을 정갈하게
유치원 생활 습관과 닮았다

그날들

첫 10km 뛰고 어그적 걷던 날
다시 뛰지 않으려 다짐했다

첫 하프 뛰고 어그적 걷던 날
다시는 뛰지 않으려 다짐했다

첫 풀코스 뛰고 어그적 걷던 날
결코 다시는 뛰지 않으려 다짐했다

처음으로 뛰다가 넘어져서 어그적 걷던 날
절대로 다시는 뛰지 않으려 다짐했다

세 번째 풀코스 완주 후 쥐가 나서 어그적 걷던 날
이제 다시는 뛰지 않으려 다짐했다

다시 이런 다짐 않으리

뜀박질 배우다

뛰다가 넘어져서 무릎이 까졌다

누구는 마라톤을 그만두라 하고
누구는 욕심부리지 말라 하고
누구는 다행이라 하고
누구는 경험이라 하고
누구는 도전만으로 멋지다 하고
누구는 치료 잘 하라고 한다

나는 나에게 뭐라고 할까

단지, 넘어졌을 뿐이야
아기가 걸음마 배우다 넘어지듯이

음식 절제하는 축제

왕자처럼 공주처럼
봉사자들의 안내를 받으며
러닝복, 러닝화, 배 번호를 단출하게 차리고
출발선에 당당한 눈빛으로 기다린다

물과 음료수 조촐한 간식뿐인 파티 음식
그마저도 절제하며 야금 먹고 달린다
마차를 마다하고 굳이 몸소 달려야 하는 축제

완주 메달과 음료수, 빵 1개를 들고도
얼굴에는 뿌듯한 미소가 흐른다
절뚝거리며 간혹 통증으로 얼굴을 찡그려도
눈빛은 끝까지 빛난다

신기하게도
그 고통을 다시 겪으러

음식마저 초라한 마라톤 축제엔
세 끼 음식값을 낸 사람들이 바글바글하다

발전기 가동하라

난방 없는 곳은 5분도 거부하는 몸이
영하 5도에도 달린다네

달릴수록 열이 나는 자가발전기

달린다는 것은

달린다는 것은
풀어야 할 숙제가 남아있다는 것

도전해야 할 마라톤 대회가 있다는 것은
살아있음을 스스로에게 알리고 싶은 것
펄떡펄떡 뛰는 심장으로

달린다는 것은
풀어놓은 숙제를 잊어버리러 가는 것
달릴 수 있을 때까지 달리는 게
마라토너의 소망

아침

커튼 새로 해가 기어이 들어오려 하니
마지못해 마중 나간다

이미 해는 하늘 위로 수직 달리기를 시작했고
해보다 먼저 앞선 자동차들은 수평 달리기

동아 마라톤 D-4
설렌 마음은 서울 한복판을 세 번 달리고도
또 달린다

흡흡 후후

세상의 모든 산소를 마실 듯 깊은 흡인력으로
숨결을 만들어 몸통 속으로 끌어와
단전까지 내려보낸다

한 바퀴 제 할 일 다한 숨결은
펌프질하듯 다시 끌어올려
입 밖으로 고귀하게 내쳐진다

보이지 않는 호흡으로
42.195를 달릴 에너지를 만든다

어느 순간 호흡도 잊는다

감사

니체의 말로 아침을 읽는다
셰익스피어의 글로 아침을 쓴다
러닝으로 나의 아침을 듣는다

다치면 안 돼!

병장 말년에는 떨어지는 낙엽도
조심하라 했다지요
동아 마라톤 대비 훈련 끝나고 남은 1~2주는
넘어질까, 마음 상하지 않을까
몸도, 마음도 조심조심

몸속에 물을 머금게 하려고
미리미리 자주 채워두고
마지막 에너지 한 방울이라도 보탬이 되려
음식도 골고루 저장하네

뜀박질 감을 잃지 않도록 수시로 움직이며
조깅할 때도 에너지를 아끼고
발을 헛디뎌도 넘어지지 않아서 감사하니
건강한 내 몸이 보배로세

보물 마냥 살살 다루는 몸과 마음
언제 이렇게 소중하게 다뤘던가

이번엔 또 뭐야?

첫 춘천 풀코스는 왼쪽 무릎이 아파
30km 이후 고전했고
무릎 보호대를 하고 장거리 훈련 추가

두 번째 여명 풀코스는 고관절이 아파
35km 이후 통증과 싸웠고
수시로 스쿼트와 요가 추가

세 번째 울릉도 풀코스는 넘어져서
얼굴, 무릎 까져서 포기했고
언덕 훈련과 페이스 조절 추가

네 번째 JTBC 풀코스는 32km에 쥐가 나서
파르르 온몸이 떨렸고
물구나무서기와 쥐 방지 예방약 추가

다섯 번째 동아 마라톤 풀코스는 30km에
양쪽 엄지발톱이 들썩였고
이젠 무엇을 추가해야 하나

여섯 번째 풀코스는 어떤 일이 생기려나?

잘하고 있어~ 힘내!

격려하고 응원하는 말
내 안에 그 마음이 없다면
쉽게 나오기 힘든 말
설사 없다 해도 반복하면
습관이 되어 나오는 말

격려 응원을 달고 살아야 하는 이유는
내가 격려와 응원이 필요하기 때문

특히 마라톤 할 때는

나는 어떤 말 할까

풀코스 마라톤 완주하며 하는 말

아이고 힘들다
사람 살려
할 게 못 되네
쉽지 않네
이번만 하고 끝내
집에 가서 쉬고 싶다
물, 물, 물
배고프다
해냈다!
엉엉엉엉
힘들어도 재밌네
완주 못할 줄 알았어
완주해서 다행이다
여기저기 다 아파

일단 숨 좀 쉬자
살았다
모든 풀코스는 다 힘들어
헉헉헉
드뎌 끝났다
개인 기록 깼어
메달 받으러 가자
다신 여기 안 올래
기록은?
덕분에 완주했어
감사합니다
잘 하네
수고했어
대단하다
이런 느낌이구나
그래, 이 맛이지

Bravo My Life

먼 나라 이웃 나라

서브 5가 서브 3의 세상을 엿본다

월 300km의 러닝 거리
1km 구간 페이스 4분 15초 이내
몸무게 감량 필수
자신감 풀 장착
타고난 신체 능력
피, 땀, 눈물의 절제력

아서라, 엿보기도 숨차구나

*서브 5(풀코스 마라톤을 5시간 안에 완주)
*서브 3(풀코스 마라톤을 3시간 안에 완주)

언제 오려나

42.195km 중 첫 고비가 30km에서 기다린다
마라톤의 벽을 느낀다는 그곳
맨 정신으로 달리기 힘들다는 그곳

15,000명 중에서 마라톤 클럽 회원을 찾아라
눈 깜짝하면 지나칠 수도 있어서
눈에 초집중하며 찾는다

자주 보는 얼굴인데 사선에서 만난 거 마냥
반갑다
물 한 컵이 한 컵이 아니라
한가득 넣은 응원과 완주의 염원을 꽉 담았다

마음만은 같이 달리면서 등을 밀어주고 싶다
꿀물을 낚아채고 마저 달리러 나간다

화이팅!
바로 메아리가 들린다

화이팅~

내가 왕이다

첫 풀코스 전장에서
페메 장군은 옆에서 말없이 달린다
30km에서 호위 장군 셋이 같이 달린다
양옆, 뒤에서 둘러싼다
내가 갈 길은 오직 전진뿐이다

무릎에 통증 신호가 와서 정지
호위 장군이 쉬이익 스프레이 파스를 뿌린다
덕분에 걸을 수가 없어 다시 뛴다
조금 더뎌도 좋으련만 이렇게 신속할 수가

목이 너무 말라요
다른 호위 장군이 가방에서 물을 꺼낸다
왕이라도 실컷 마실 수도 없다
뚜껑까지 따서 주니 멈출 수 없어 달리면서
마신다

개선문 300m 전
새로운 호위 장군 셋이 추가로 합류한다
이 쫄병 왕이 머리 쭈뼛한다
막내를 왕 대접한다
내가 할 일은 오직 달리는 일
완주 라인을 밟는 일
그 일만이 내가 장군들에게 보답하는 길
메달 받는 곳까지 호위하는 장군들

막내 왕이 머리 조아립니다
감사합니다

*페메 장군: 페이스 메이커
*호위 장군 : 같은 마라톤 클럽 회원들

임, 마, 작

피하고 싶은 고통을 직면하는 사람들
임산부
마라토너
작가

고통을 잊고 다시 직면하는 사람들
둘째 가진 임산부
두 번째 풀코스 마라토너
두 번째 작품 작가

고통을 피할 수도 있지만 다시 직면한 사람들
세 번째 아이 엄마
세 번째 풀코스 마라톤 완주 마라토너
세 번째 작품 작가

기다림과 준비, 완주 후 고통 직면한 대가로
보물을 선물받는다

그중 고통도 가장 크고
보물도 황금 보물인
세 아이들

작품도 마음처럼, 준비처럼
꼭 황금 보물이 되지는 않는다

그 힘들고 정직한 마라톤이
가장 쉬웠어요

42.195km

달리며 직진하다가, 우회전, 좌회전
때론 U턴도 하고 한 바퀴 돌기도 한다네

가끔씩 힘겨운 높은 오르막은
다다다닥 내려가는 내리막도 선물하네

땀 흘리다 가는 길에
비가 흩뿌리기도 하고
바람이 등을 밀기도 세차게 맞서기도 하지

혼자 지루할까 봐 러닝 클럽을 붙여주고
그마저 힘들면 페이스메이커라는
특별 개인 러닝메이트도 가능하다네

때론 손과 발이 자동으로 움직여서
내가 뛰는 건지 기계가 뛰는 건지 모른다네

주변 풍경이 눈에 보이기 시작하면
몸과 마음에 여유가 생긴 거라우

제대로 준비하지 않으면
과정도 결과도 만신창이가 되지만
그것 또한 배움이라네

마치 내 삶의 태도 같더라고

눈치

어린아이는 눈치가 없다
초등 때는 부모의 눈치를 본다
사춘기 때는 친구의 눈치를 본다
성년이 되어서는 이성의 눈치를 본다
결혼해서는 시가, 처가의 눈치를 본다
아이를 낳으니 아이 눈치를 본다
마흔이 넘으니 몸의 눈치를 본다
쉰이 넘으니 변하는 세상의 눈치를 본다

예순, 다시 어린아이처럼 눈치가 없어지려 한다

첫 하프를 도전하는 그대여

일주일 앞으로 다가온 하프 코스 대회가 걱정
된다는 그대

겁도 없이 눈 오던 날 하프 코스 도전했었지
15km까지 뛰어본 나로서는 그 고통이 어디인
줄 몰랐네

17km에서 몸이 천근만근
18km에서 집에 가고 싶었지

20km까지 갔을 때 아까워서 포기하지 못했네
눈으로 신발은 젖었고 마음은 더 무거웠네

21.097km 첫 풀코스만큼 어려웠지
어그적 걷다가 결국 택시를 타서 귀가했다네
고관절이 무슨 일인가 놀란 날

몸이 풀코스를 만나러 변화가 시작된 날이기
도 하다네

첫 하프가 첫 풀코스의 관문이라네

미니멀 라이프도 뛰어간다

쉰이 넘으니 사고 싶은 게 없어졌다
이제 마음 정리가 되려나 싶다

어쩔 시구 오산이었구나
마라톤을 만나니 아이가 태어나듯
머리에서 발끝까지 모두 새로 산다
한 걸음 클 때마다 또 산다

있어도 또 사고
더 좋은 게 없나 기웃거린다

아이고
미니멀 라이프 저 멀리 뛰어간다
원점이다

전주 부부 마라톤 대회

부부가
같이 출발해서
같이 반환점을 돌고
같이 피니시를 하는 대회

처음 5km
천천히 달리자
휙휙 지나가는 사람들 사이에서도
우리들만의 삶의 페이스로 한 발 한 발

10km 반환점에서 손잡고 찰칵
이런 대회가 또 있을까
9월 햇볕에 고전한다
구름이 해를 가릴 때 얼마나 고맙던지

15km
걷고 만다. 포기는 안 한다. 다시 내딛는다.
도와주고 싶지만 손 내밀고 싶지만 도울 수 없는 경기
자신의 발로 뛰어야만 하는 대회

20km
이제 1km 97m 남았어.
무거운 발걸음, 무거운 마음, 무거운 입
눈빛으로 힘내라고 보낸다

마지막 100m 손잡고 질주
21.097km 2시간 48분
Finish~

우리의 관계는 이제부터 시작

"고생했어요, 수고했어요."
"고생했어요, 수고했어요."

생각은 무슨

오만 가지 인상으로
5km를 뛴 남편에게 묻는다
무슨 생각 하며 뛰었어요?

에베레스트 등반하는 사람도 있는데
이 정도는 아무것도 아니다 하며
뛰었죠. 당신은 풀코스 뛸 때
무슨 생각 하며 뛰었어요?

호흡하느라 생각할 시간이 없어요
아무 생각도 안 나게 뛰었어요

나도 아무 생각 안 나게 뛰고 싶다

반나절 마라톤 대회를 꿈꾸며

나의 동아 마라톤 대회는 열흘이 걸렸다
풀코스 완주 후 발톱 부상으로 숨죽여
살금살금 다녔다

어린아이가 아빠의 운동화를 신듯
남편의 운동화를 신고 터벅터벅 걸었다

습관이 된 몸은 발톱 붕대를 하고도
시도 때도 없이 움직인다
물 자주 마시기, 다리 올리기, 팔굽혀 펴기, 스쿼트...

부상 회복, 일상 러닝이 시작되어
동아 마라톤 대회는 이제야 끝이 났다

3주 후면
2024 보스턴 마라톤 대회 풀코스 참가
또 어떤 드라마를 만날까
또 어떤 사람들을 만날까
또 어떤 나를 만날까

이번엔 반나절 만에 끝나기를

마라톤, 시처럼 아름답게

드라마 장소 거리는 42.195km
드라마의 시간은 각자 다르다
세계 각지에서 온 러너 28,000명

한국인 동행 러너 33인
동반주 3명과 5시간 31분 동안 달리다

러너보다 응원하는 사람들이 더 많고
응원의 소리가 러너의 에너지보다 넘친다

아이들이 하이파이브 손을 내밀고
수박, 오렌지, 물, 쿠키를 집 앞마당에서
건네주다

식수대에서는 양쪽 길가에
손에 컵을 올려놓고 가져가란다

에너지 젤은 서브 5도 모두 받을 만큼
넉넉하며 손으로 직접 건네준다

어느 구간에서나 볼 수 있는
응원의 함성, 음악 소리

언덕 위에는 수고했다는 현수막이
완주 후에는 손수 메달을 걸어준다

행여 땀이 식어 추울까 비닐도
어깨에 걸쳐주고 휠체어도 대기 중이다

마라톤을 하러 왔다가
응원만 받고 가는 대회

128회의 역사는
남다르구나

천천히 즐긴 보스턴 마라톤 대회
처음으로 고통 없이 풀코스 완주 한 날
마라톤도 시처럼 아름다울 수 있구나

벚꽃 러닝

벚꽃 모닝 러닝은
겨우내 마른 가지만 보았던 보상이다

시간과 완주 사이
고통스러운 시간에 대한 보상이다

더운 여름과 차가운 겨울을
보낸 계절에 대한 보상이다

과거와 미래 속에 고민하는
마음에 대한 보상이다

기꺼이 찐한 겨울 고통을 겪은 후
그 아름다움을 내년에도 보리라
마치 마라톤처럼

일상 러닝

대회가 끝나면 성취감과 함께
허전함이 밀려온다

무엇 하러 달렸는가
무엇 하러 달릴 것인가

그 해답을 찾는 사이
아침은 다가오고
다음 마라톤 대회는 다가온다

때론 이유 없이
달릴 수만 있어도
행복한 날이 많다

마라톤, 시처럼 아름답게
발 행 | 2024년 4월 24일
저 자 | 김민들레
펴낸이 | 한건희
펴낸곳 | 주식회사 부크크
출판사등록 | 2014.07.15.(제2014-16호)
주 소 | 서울특별시 금천구 가산디지털1로 119 SK트윈타워 A동 305호
전 화 | 1670-8316
이메일 | info@bookk.co.kr

ISBN | 979-11-410-8262-8

www.bookk.co.kr